Go, Go,

by June Melser

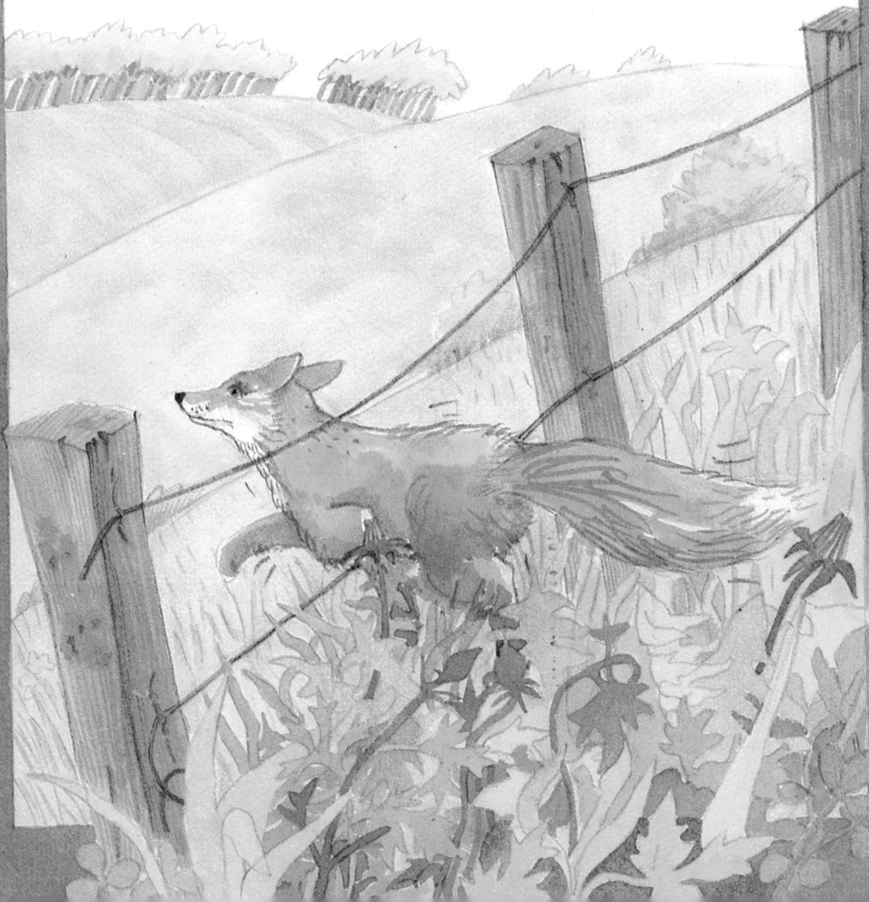

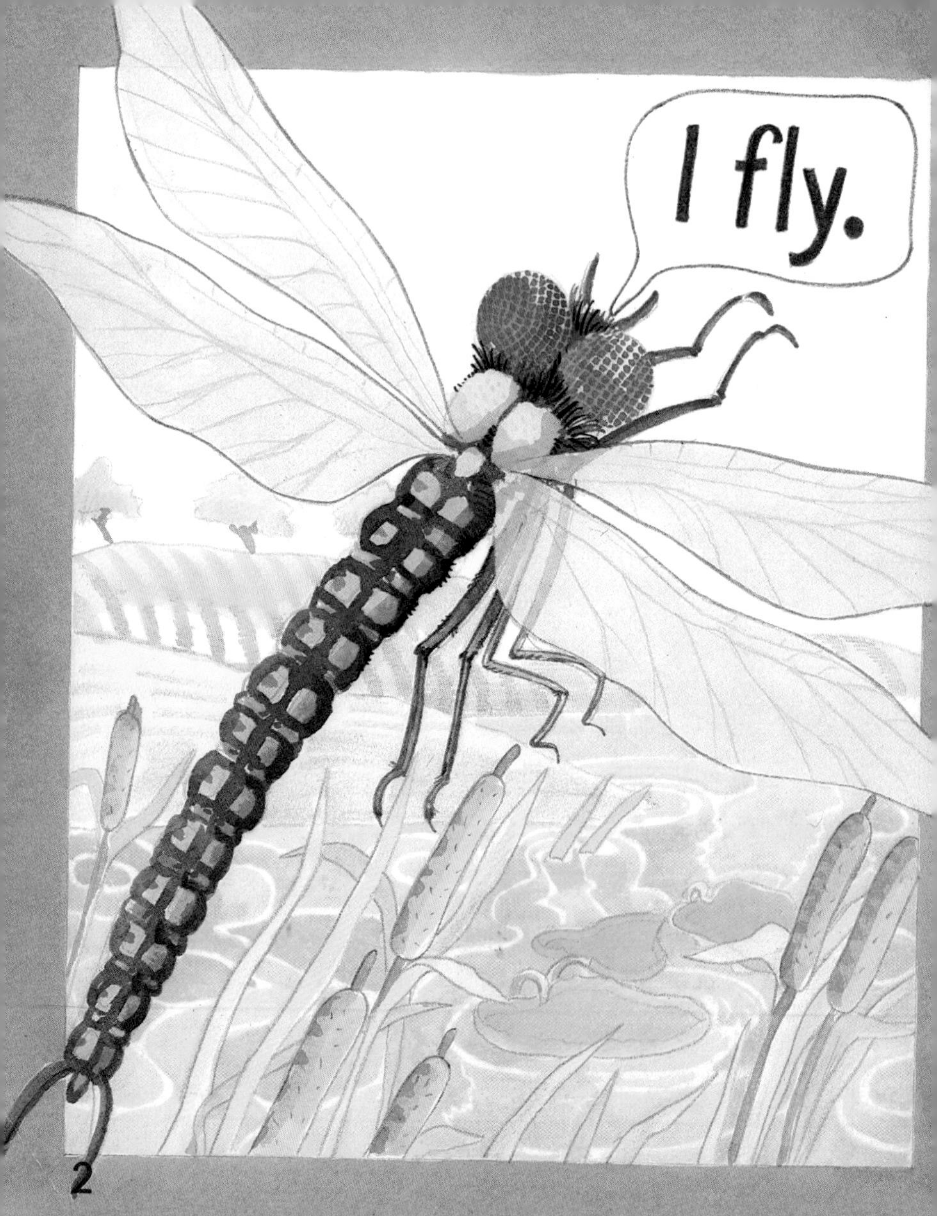
I fly.

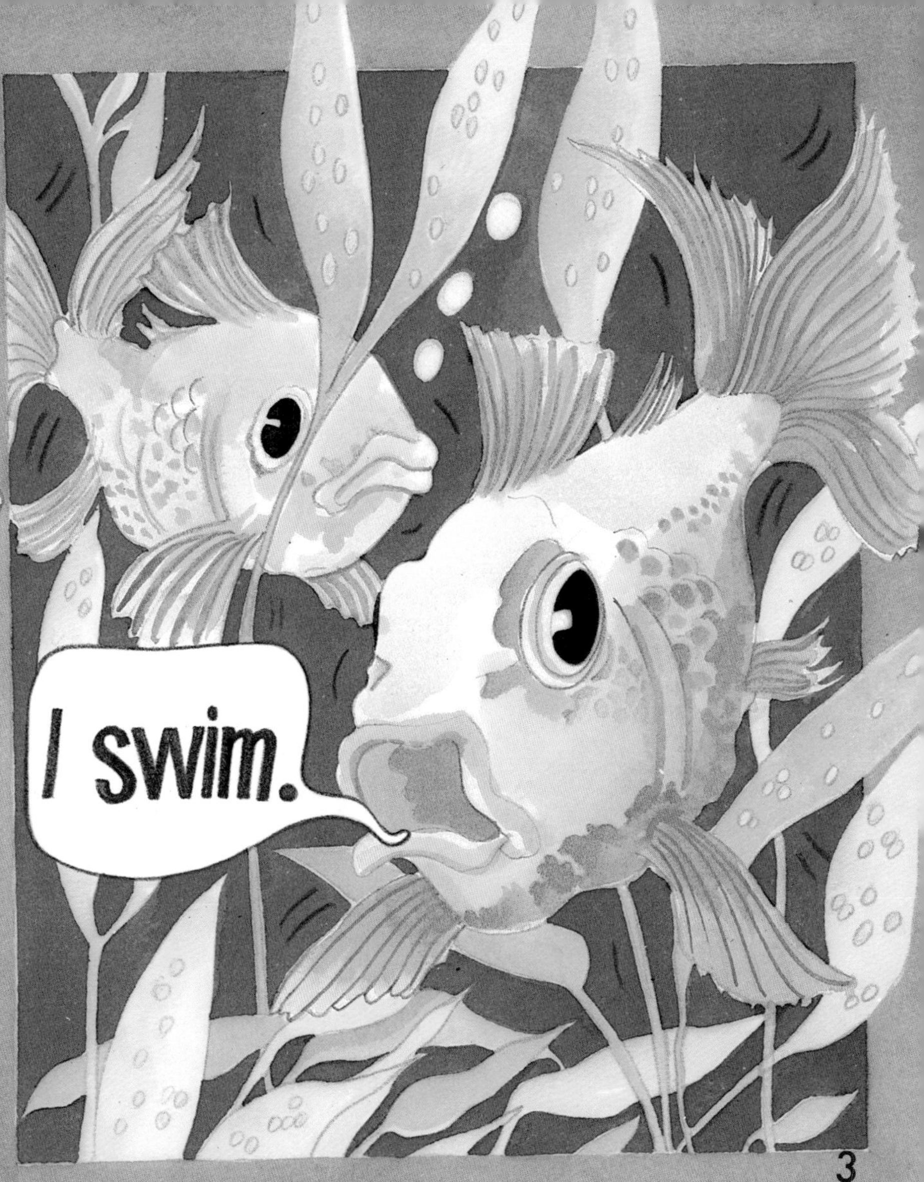
I swim.

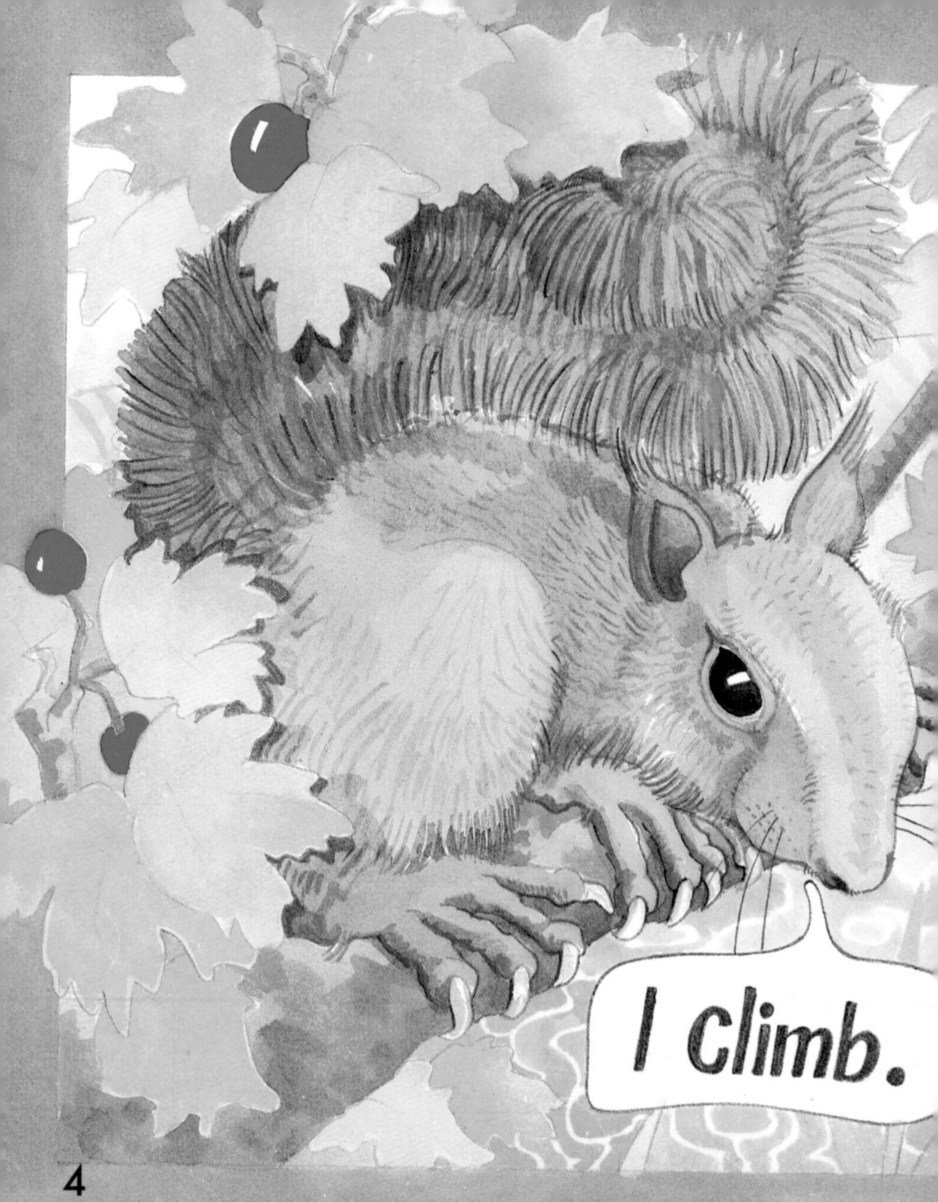
I Climb.

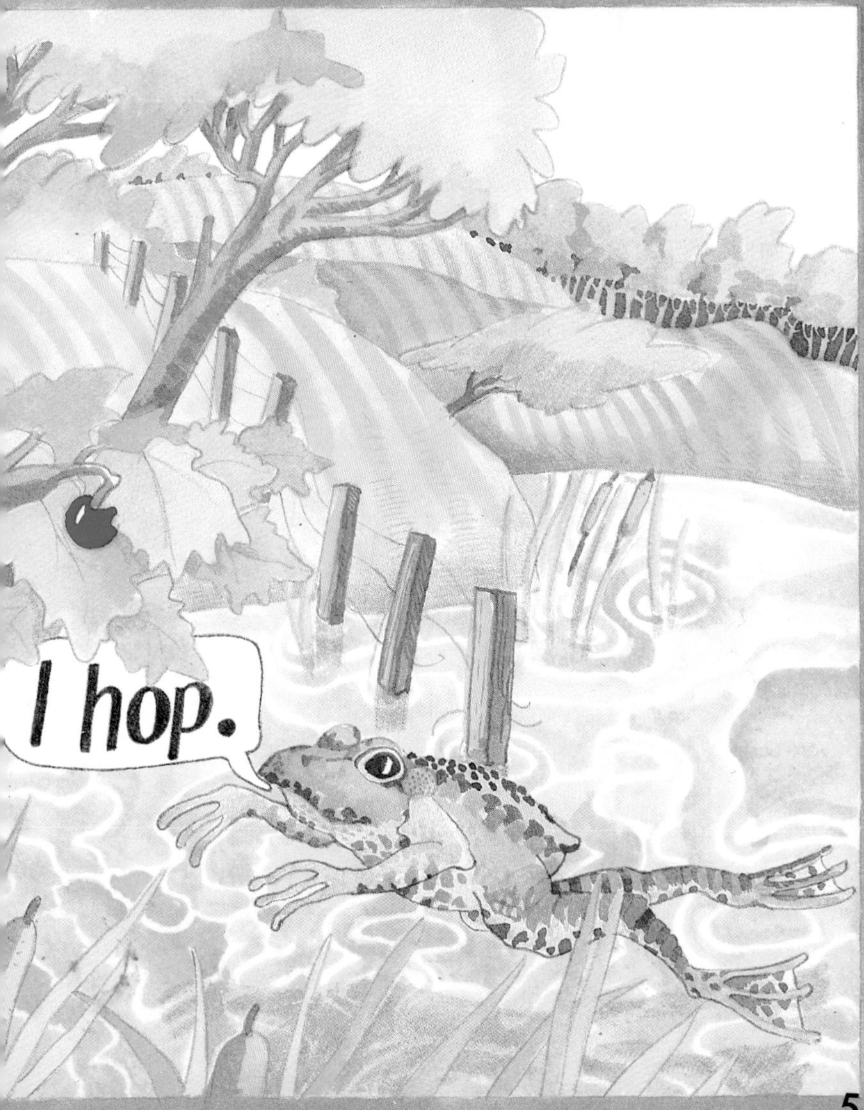
I hop.

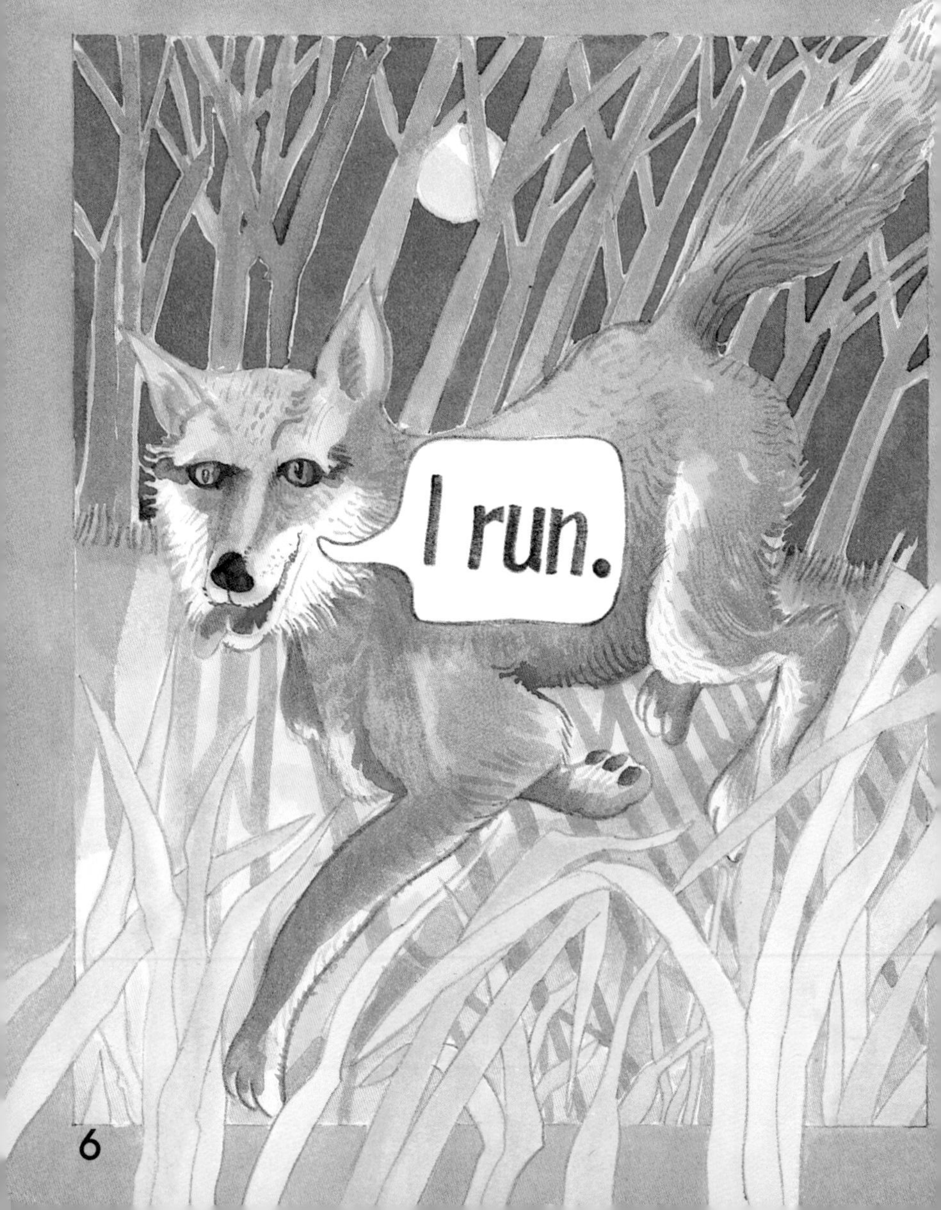
I run.

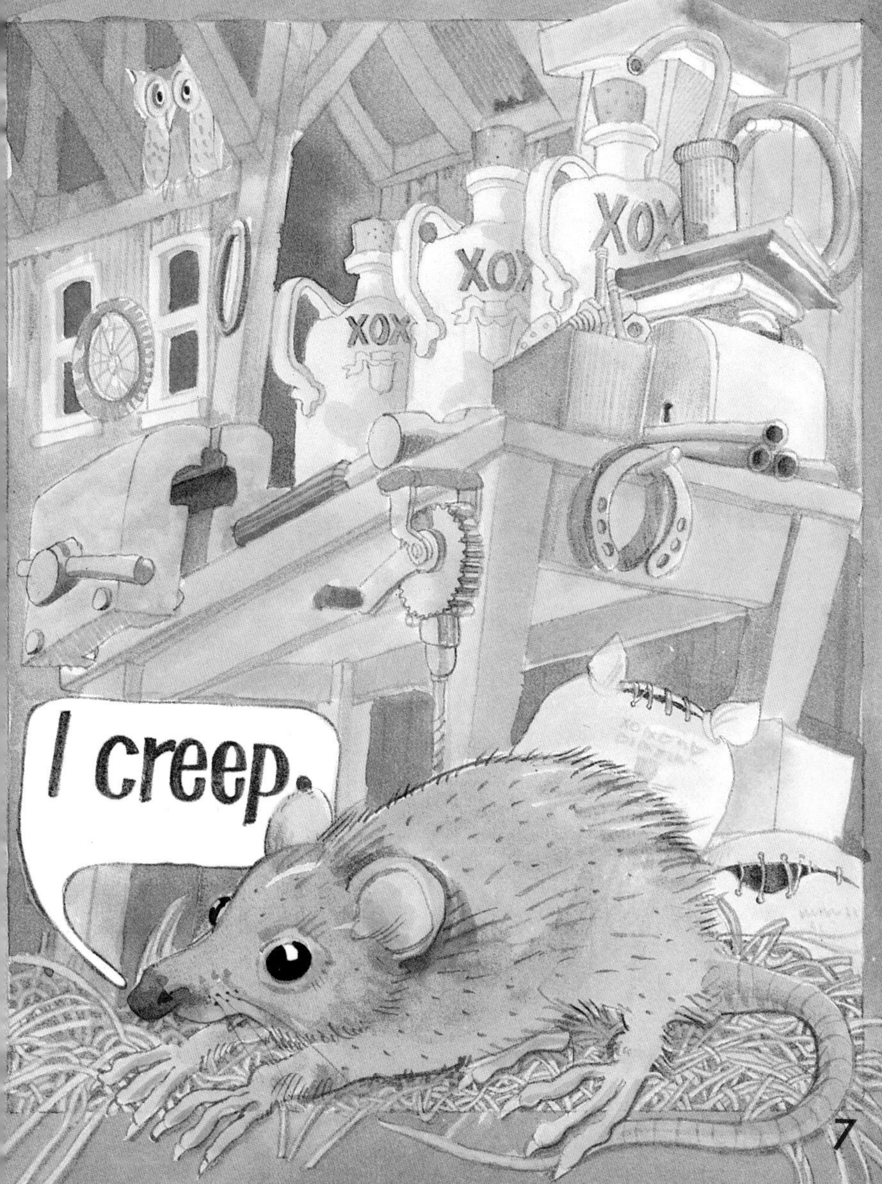
I creep.

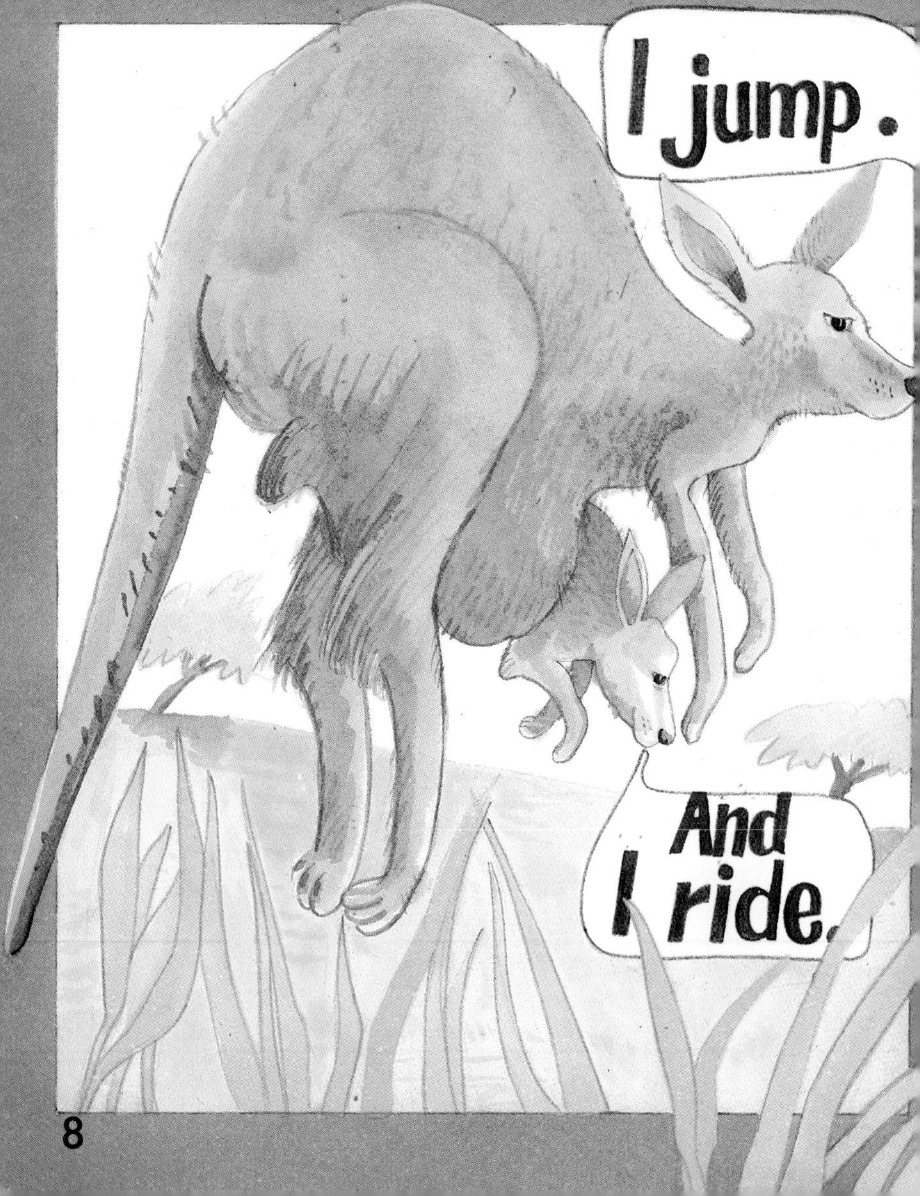
I jump.
And I ride.